KB076628

미스터리 수사대

사건파일

1권

김그린 글 · 김양이 그림

작가의 말

오늘날은 과거 못지않게 많은 범죄가 일어나고 있습니다.
우리와 가깝고도 먼 이 행성에 사는 동물들은 지구도 만족스럽지 않아 지구에서 건너온 나쁜 인간들의 범죄로 인하여 고통받고 있습니다. 이 책을 읽으며 우리 사회의 문제점을 생각해봤으면 합니다.

미스터리 수사대 1권 등장인물

미스터리 수사본부

김그린/남/나이:10세
미스터리 수사대의 기술자. 수사도 잘한다. 양이의 오빠이다.

도미로/여/나이:10세
전투가 전문이고, 아이스의 누나이다.

도아이스/남/나이:7세
미스터리 수사대의 최약체지만
강점은 운과 뛰어난 기계조작술이다.
매일 행운이 아이스를 보호한다.
미로의 동생이다.

김양이/여/나이:8세
그린의 동생, 미로를 도와 전투를 하기도 하고, 나중에 쓸 장비들을 만들기도 한다.

도토리/남/나이:32세
이리봬도 미스터리 수사대의 대장이면서 동물국의
군인 대위 출신 이다.

밤송이/여/26세
토리의 부인이고
자격증이 백 개가 넘는다.

TOP-MAN

탑맨 노에니멀 클로/남/65세
인간 우선주의를 믿는 범죄자. 동물국의 영원한 적으로 범죄 집단 탑맨의 대장이다.

아나시스 피플 클로/여/29세
일명 '탑맨의 작전녀' 별명 그대로 작전을 주도하는 범죄자. 탑맨의 딸.

정체를 알 수 없는 인물

이라라/여/나이:12(?)
수상한 그린그린 본부 신입 직원, 몰래 라이와 티티 나나의 도움을 받는 것 같다.

이라이/남/29세
무언가 수상해 보이는 신입 그린그린 본부 직원. 현재 시설 수리 담당이다.

진티티/여/20세
그린그린 본부 신입 정리 담당. 한패인 녀석들 중에 가장 의심을 덜 받지만 그린의 의심을 피해갈 수는 없었다...

진나나/여/18세
그린그린 본부에 신입으로 들어와서는... 하는 일이 없다. 역시나 의심 받는 중.

차례

1. 연쇄 고양이 실종사건

연쇄 고양이 실종 사건

2022년 10월 2일

1. 신고 전화

어느 평온한 날,

모두가 평화로웠다.

'따르릉'

전화벨 소리가 들렸다.

"여보세요?"

미로가 전화를 받았다.

"여…. 여보세요…?"

수화기 너머에서 소리가 들렸다.

"무슨 일이시죠?"

미로가 대답했다.

"이웃들이…. 사라지고 있어요. 옆집 가족은 이틀 전에 사라졌고, 앞집 가족은 어제 사라졌어요!

오늘은 저희 차례일 거예요…. 빨리 와주세요!"

미로가 대답했다.
"네 알겠습니다! 사건 수사 서비스 미스터리 수사대 출동하겠습니다!"
미스터리 수사대대원들은 바로 출발했고
곧 신고 현장에 도착하게 되었다.
그리고 신고자가 말했다.
"제 가족 중의 한 명은 이미 사라졌어요!"
미로가 말했다.
"큰일이네…."
대장인 토리가 말했다.
"일단 수색하고 중요한 증거를 발견하면 회의를 요청하도록."
수색을 시작한 후로 1시간 후, 그린은 근처 식당가에서 탐문수사를 하고 있었다.
그런데 갑자기 그린의 무전기에서 소리가 들렸다.
"삑, 중요한 증거로 추정되는 자루가 발견되었다. 곧 회의를 요청하겠다. 미로 오버."
얼마 지나지 않아, 토리가 근처에 있는 임시 회의실에서 회의를 시작했다.

"회의를 시작하겠다."
미로가 증거를 발표했다.
"중요한 증거로 보이는 자루를 발견했습니다."
"피해자들을 기절시킨 뒤 자루에 넣어 납치한 것 같습니다."
양이가 말했다
"저는 증거로 보이는 손수건을 찾았습니다. 그런데 보통 손수건이 아닌 것 같습니다. 이 증거를 발견한 이후부터 피곤해지는 것 같았습니다. 이 손수건에 대해 아는 사람은 없는 건가?"
그린이 말했다.
"흠... 아마도 수면제를 적신 손수건 같습니다."
토리가 말했다.
"일단 이번 회의는 여기까지 하도록 하지."
첫번째 회의가 끝난 후, 그린은 근처를 길가를 수색하고 있었다.
근처 주민들과 대화하다가
양메에(양)는 어젯밤에 무언가를 끌고 가는 동물들을 봤다고 한다.

비명도 들었다고 했다.

잠시 후, 그린과 미로, 양이, 그리고 아이스는 만나서 정보를 공유했다.

그린이 물었다.

"수사해서 얻은 정보 있어?"

아이스가 대답했다.

"도로에 피해자들의 지문과 여러 흔적이 발견되었는데 지금 비가 오고 있어서 흔적이 사라지고 있는 것 같아"

그린이 말했다.

"나는 인근 주민에게서 어젯밤에 무언가를 끌고 가는 동물들을 봤다는 진술을 들었어."

"그럼 각자 흩어져서 흔적을 찾자."

모두가 대답했다.

"그래!"

2. 발견

아이스와 그린은 어두운 골목길을 걷고 있었다.
아이스가 말했다.
"그린이 형, 어디서 살려달란 소리 안 들려?"
그린이 대답했다.
"응 나도 들었어."
아이스와 그린은 소리의 근원지로 달려갔다.
그곳은 한 낡은 건물 안의 쓰레기통이었다.
그 쓰레기통은 마치 무언가 탈출하게 하지 않기 위해 접착제로 감싼 쓰레기통 같았다.
아이스와 그린은 힘들게 그 쓰레기통을 열었다.
안에 한 고양이가 있었다.
아이스와 그린처럼 사람의 생김새를 한 고양이 귀가 달린 고양이였다.
그리고 머리카락과 귀, 꼬리의 색은 토리보다 진한 금색이었다.
아이스가 말했다.
"실례지만 성함이…."

김도리가 겁먹은 듯이 말했다.

"저는 김도리에요…. 그보다 이 건물을 빨리 나가야 해요!"

"지금 그들이 오고 있어요!"

그린이 물었다.

"그들이 누구죠?"

김도리가 대답했다.

"저희 친구들과 이웃들 그리고 가족들을 납치한 극악무도한 지구인들이요!"

그린이 말했다.

"설마…. 그들이 나타난 건가….

동물국 평화유지단에서 대응하고 있는 걸로 알고 있는데…."

아이스가 말했다.

"형! 동물국 평화유지단은 불과 1년 전에 그들의 반격으로 해체된 그룹이잖아!"

그린이 말했다.

"안 돼…. 그 말이 사실이면 더 이상 그들을 막을 그룹이 없다는 뜻 아니야?"

아이스가 말했다.

"형! 그러지 말고 어서 도망가야지!"

그린이 말했다.

"하지만, 이건 분명 기회야…."

아이스가 물었다.

"형! 그게 무슨 말이야?"

그린이 말했다.

"그들이 와서 우리의 정체를 들키면 잡힐 수도 있잖아?"

아이스가 대답했다.

"그렇지."

그린이 말했다.

"그렇다면 반대로 생각해보자."

아이스가 물었다.

"어떻게?"

그린이 대답했다.

"우리의 정체를 들킬 수도 있는 단점이 있지만, 반대로 그들의 정보를 어느정도 빼낼수도 있지 않을까?"

아이스가 말했다.

"그 전에 무전부터 하자."

아이스가 토리에게 무전을 보냈다.

"토리 대장님! 상황은 어떠신가요?"

토리 대장이 대답했다.

"삑, 지금 지구인들과 교전 중이다. 오버!"

아이스가 질문했다.

"그렇다면 후퇴한 후 특별 작전을 실행하는 것은 어떻게 생각하시나요?"

토리가 대답했다.

"삑, 좋은 작전이다. 오버. 그들의 기지에 있는 모양이군. 당장 실행하도록 하겠네. 오버."

아이스가 교신을 끝냈다.

"네. 아이스 교신 끝 오버. 삑."

아이스와 그린이 말했다.

"좋아. 그들의 정체를 샅샅이 뒤져주도록 하지."

3. 특별 작전

15분 후…. 그린과 아이스, 그리고 김도리는
그들이 오기를 기다렸다.
아이스가 말했다.
"왜 김도리씨도 같이 있는거야?
그들이 오자 우리는 숨죽이며 조용히 그들을 감시했다.
그들 중 하나가 말했다.
"혹시 이곳에 숨어있는 수사대가 있을지도 모릅니다.
한번 수색해보도록 하지요."
이번엔 이들의 대장으로 보이는 여자가 말했다.
그녀가 말했다.
"그렇게 합시다."
우리는 그 즉시 그곳을 빠져나왔고,
다시 회의를 요청했다.
잠시 후. 회의를 시작하며 토리가 말했다.
"그들에 대해 알아낸 것이 있는가?"

그린이 말했다.
“그들의 대장으로 보이는 자의 모습과 그들의 수를 알아냈습니다. 그들의 대장은 머리카락이 길고 파란색입니다. 그리고 그들의 수는 대여섯 명 되는 것 같지만 다른 곳에 더 있는 것 같습니다.”
토리가 말했다.
“그렇군. 알겠네.”
양이가 말했다.
“대장님!!!”
양이와 아이스가 헐레벌떡 뛰어왔다.
“용의자 두명을 저희가 특정했습니다.”
그린이 말했다.
“저도 지금까지 만난 사람 중 용의자로 의심되는 대상이 있습니다.”
“누구인가?”
토리가 말했다.
그린이 말했다.
“양메에가 조금 의심스럽습니다.”

4. 아나시스 클로

한편, 토리와 그린, 양이, 아이스가 있던 회의실 근처 큰 삼거리에 미로가 있었다.

미로가 말했다.

"넌 누구야!"

그들 중의 한 사람이 말했다.

"내가 누구냐고? 궁금하다면 알려주는 것이 정복의 법칙! 나는 탑……."

미로가 말했다.

"휴! 지구인들이란…….

이제 나도 회의실로 가야지."

잠시 후…. 토리가 말했다.

"후…. 용의자를 3명을 밝혔네.

김 파인애플과 양메에 그리고 김도리."

금도리가 말했다.

"전 결백합니다."

김 파인애플이 말했다.

"전 그냥 파인애플 모양 가면을 썼을 뿐입니다!"

양메에가 말했다.
"나는 아무 잘못 없다 메에!"
그린이 질문했다.
"양메에, 왜 동물들을 끌고 가는 것과 비명소리도 들었다는데 왜 신고도 하지 않고 가만히 계셨던 거죠?"
양메에가 대답했다.
"원래 그런 거 들으면 다 무서워지잖아 메에, 동물이라도 겁은 있잖아. 메에."
그린이 말했다.
"그렇군요."
그다음, 양이가 말했다.
"김 파인애플 씨, 왜 이름이 그렇죠?"
김 파인애플이 말했다.
"제가 아나시스 클로, 아니! 그냥 이름이 그런 거예요!"
양이가 혼잣말했다.
'이거 너무 말을 더듬는데…….'
그때, 그린이 소리쳤다.

“용의자 김 파인애플의 모습이 전에 보고했던 지구인들의 대장과 닮았습니다.”

토리가 말했다.

“각자 피의자로 생각되는 용의자를 말해주게나.”

모두가 말했다.

“김 파인애플!”

김 파인애플은 창문을 깨고 나갔다.

김 파인애플이 비행선의 사다리를 타며 말했다.

“동물들이 생각보다 똑똑하군, 참고로 나는 아나시스 클로다! 다음 기회에 보도록 하지. 그럼, 안녕!”

그리고 아나시스 클로는 사라졌다.

양이가 말했다.

“거기 서! 용서하지 못해!”

그리고 양이는 권총을 꺼내 비행선을 향해 쏘았다.

“탕! 탕!”

두 발의 총알 중 하나는 비행선의 프로펠러에 맞고 하나는 빗나갔다.

그렇게 비행선은 연기를 내며 사라졌다.

2. 블루 동물병원 사건

블루 동물병원 사건

2023년 1월 2일

1. 소문

그린그린 본부의 대원들은 각자 한가한 시간을 보내고 있었다. 식사하거나 음료수를 마시거나 식물이나 농작물을 보거나, 지하에 있는 실험실 겸 병원에서 실험하거나 심심해서 기계를 개조하는 등등, 각자 좋아하는 것을 하고 있었다.
그중 미로는 캣츠(SNS)를 보고 있었는데
게시물 중에 소문 글이 올라왔다.
'그거 알고 있어? 어제 갑자기 길을 가던 한 동물이 사라졌대!'
라고 소문 글에 적혀있었다.
그리고 미로는 댓글을 봤는데,
'그리고 쓰러진 채로 돌아왔대!'
미로는 뭔가 의심스러웠다.
'이거 이상한데?'

미로는 비상일 때 또는 사건이 있을 때 쓰는
빨간 고양이 모양 버튼을 눌렀다.
곧, 회의가 시작되고 그린이 말했다.
"무슨 일이야?!"
미로 물었다.
"모두 폰에 캣츠 있지?"
그리고 양이가 대답했다.
"당연하지! 요즘에 폰에 캣츠 없는 사람 어디 있어?"
그린이 맞장구쳤다.

"그렇지."

미로가 말했다.

"지금 실시간 인기 게시물을 보면 동물시 에서 동물 실종되었다가 돌아옴. 항목이 인기 1위야."

아이스가 물었다.

"누나 그러니까 우리가 이 사건을 해결해야 한다, 이 말이지?"

미로가 대답했다.

"그렇지!"

토리가 말했다.

"그렇다면 우리는 그 사건 현장의 증거와 피해자들의 진술이 필요하겠군. 그렇다면 내 새 차량을 가지고 가야겠군."

미로가 말했다.

"그런데 문제가 있어."

모두가 물었다.

"무슨 문제?"

미로가 대답했다.

"근처에 이미 사람들이 몰려있어서 접근하기 힘들

어, 그렇지만 출발할게."
잠시 후, 토리의 검정 자동차와 그린의 레니가 시동을 걸며 출발했다.
미로는 토리의 차 위에 올라탔다.
토리가 말했다.
"출발할거니 꽉 잡아, 미로야!"
미로가 말했다.
"아니! 여기는 잡을 게 없다고요!"
토리가 대답했다.
"아, 그렇지!"
미로가 말했다.
"하여튼 출발하자고요!"
토리가 대답했다.
"그래!"
검정 자동차가 부르릉 소리를 내며 달렸다.
미로가 말했다.
"좋아, 누가 한 짓인 진 모르지만, 샅샅이 밝혀주지!"
그린이 무전을 했다.

“삑, 아, 아, 그린이다.”
미로가 물었다.
“그래 그린, 그리고 계획은 어때?”
그린이 대답했다.
“계획대로 바로 피해 장소로 간다. 그런데 변수가 생겼다.”
미로가 물었다.
“뭔데?”
그린이 대답했다.
“피해자가 지금 병원에 갔으니 진술을 얻으러 가려면 병원으로 가야해.”
미로가 말했다.
“알겠어.”
그린이 말했다.
“그럼 그린, 교신 끝.”
토리가 말했다.
“도착했어.”
그린이 말했다.
“방금 전에 소나기가 와서 흔적이 사라졌어. 피해자

의 진술을 들어봐야겠어."

미로가 물었다.

"그럼 병원으로 가야되는 거야?"

그린이 대답했다.

"응. 보도에 긁힌 자국을 봐."

미로가 말했다.

"너무 길어, 그냥 평범한 낙서 아닐까?"

그린이 말했다.

"이거, 평범한 낙서가 아니라 모스 부호야."

미로가 물었다.

"모스 부호?"

그린이 대답했다.

"응, 모스 부호."

아이스가 말했다.

"이 암호를 해독해봤더니 '살려주세요! 블루 동물 병원에 잡혔어요!' 라고 되어있어"

2.블루 동물병원 급습 작전

양이가 말했다.

"빨리 블루 동물병원으로 가야 해!"

아이스가 말했다.

"그린이 형! 우리가 일단 이 근처 통신을 해킹해야 하니까 신호 수신기를 설치해야 해!"

그린이 말했다.

"오케이! 빨리 출발하자!"

그린은 먼저 통신 신호 수신기를 설치하러 출발했고, 양이와 토리, 그리고 송이와 미로는 차 안에서 회의를 시작했다.

양이가 물었다.

"무슨 일인데 잡혀간 걸까?"

미로가 대답했다.

"아마도 그 블루 동물병원 평범한 병원이 아닌 것 같아."

토리가 말했다.

"아니면 의료사고로 위장하는 누군가의 작전일 수

도 있고."
송이가 말했다.
"더 많은 피해자가 생기기 전에 조치해야 해."
그때 그린에서 교신이 왔다.
"지금 통신 수신기 설치했어. 곧 갈게."
미로가 대답했다.
"오케이! 재정비 후 다시 보자~"
우리는 재정비 후 다시 사건이 일어난 사거리에 모였다.
아이스가 말했다.
"날이 많이 어두워졌네."
토리가 말했다.
"블루 동물병원 급습 작전을 실행할게. 간단해. 일단 블루 동물병원에 차로 돌진해서 충돌해. 그리고 우리는 가능한 빨리 차에서 내려서 싸우는 거지."
토리의 말이 끝난 후 우리는 블루 동물병원을 향해 출발했다.
토리가 말했다.
"모두 싸울 준비해."

먼저 나, 미로가 반장갑을 쓰고 그 다음 그린과 양이가 권총을 장전했다. 그리고 토리가 조총을 꺼내고, 송이가 전기충격기를 들었다.

아이스는 광선검 두 개를 꺼내 하나를 나에게 주었다.

미로가 물었다.

"이제 어떻게 할 거죠?"

토리가 대답했다.

"돌진."

미로가 말했다.

"네?!"

토리가 경고했다.

"꽉 잡아!"

"쨍그랑!"

블루 동물병원 유리가 깨지고 안쪽의 사무실에서 쉬던 직원들은 놀라서 뛰쳐나왔다.

직원 중 한 명이 말했다.

"무슨 일이지?"

다른 한 명이 말했다.

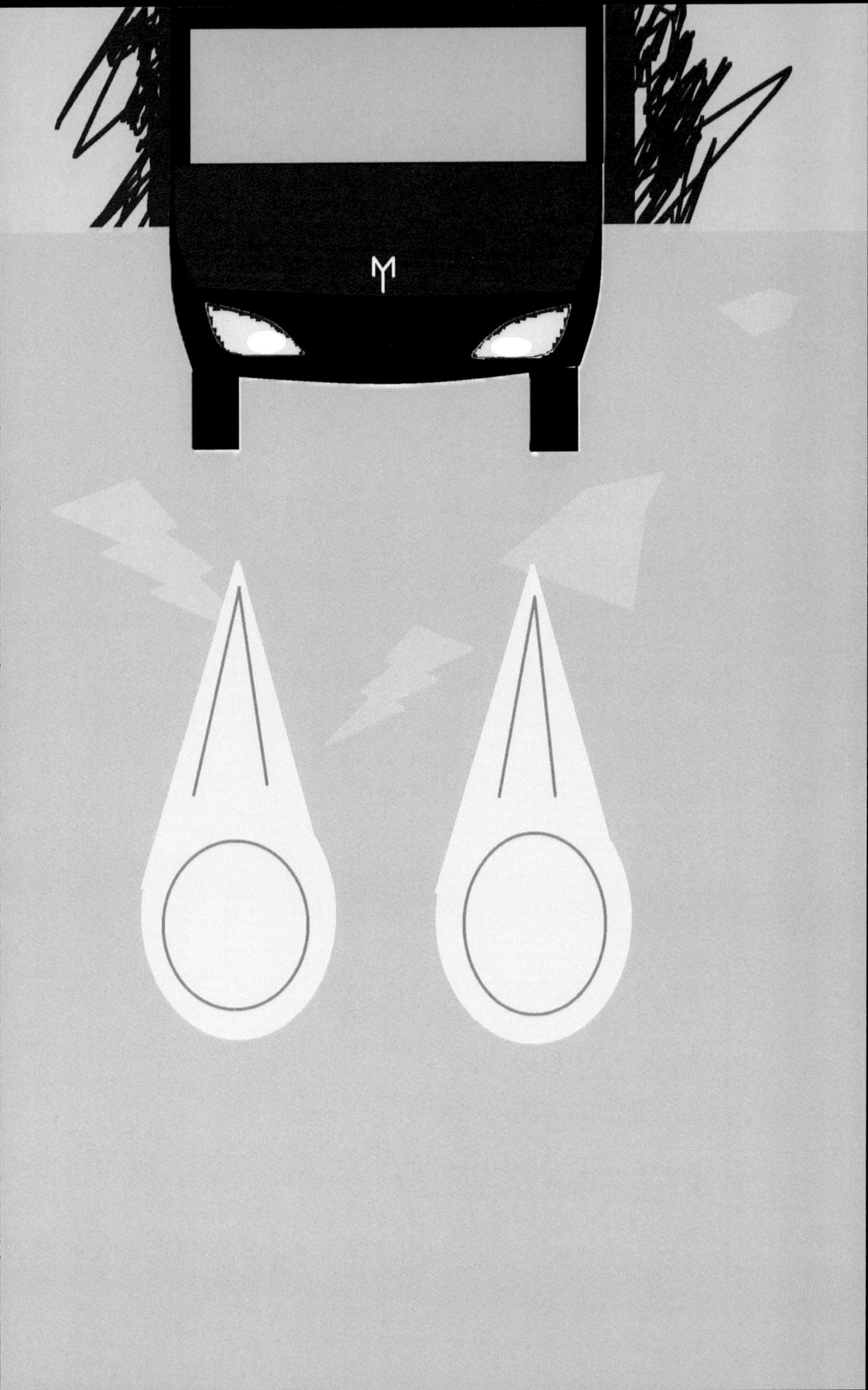

"저기 누가 차로 유리를 깨고 들어왔어!"

대원들 모두 신속하게 차에서 내렸다.

미로는 차에서 바로 뛰어내려 병원 직원들을 주먹으로 쳤다.

직원들도 반격했다.

동물병원은 금세 아수라장이 되었다.

미로가 동물병원 원장의 멱살을 잡으며 말했다.

"다른 동물들은 다 어디 있어! 당장 말해!"

원장이 침묵했다.

미로가 더 세게 멱살을 잡으며 말했다.

"이래도 말 안 해?!"

그리고 그린과 양이, 토리가 총을 겨누었다.

미로가 원장을 향해 정확히 주먹을 날렸다.

원장이 '으악!' 소리를 내며 쓰러졌다.

미로가 소리 질렀다.

"다른 동물들 다 어디 있는지 말 안 해?!"

직원들은 말하지 않았다.

그린이 총을 쏘자 양이와 토리도 총을 쏘고 송이는 전기 충격기를 작동했고 사무실과 수술실, 회복실로 보이는 문에서 명령하는 소리가 들렸다.
"빨리 수술 안 한 동물들 옮겨!"
미로가 대원들에게 말했다.
"하나, 둘, 셋 하면 내가 남은 놈들을 처리할 테니 다른 대원들은 저 문으로 들어가서 동물들을 옮기는 놈들을 막아. 알겠지?"
아이스가 물었다.
"누나, 혼자서 저 많은 녀석을 상대하는 거, 괜찮겠어?"
미로가 대답했다.
"괜찮아~ 우리한테는 광선검이 있으니까 괜찮아."
그리고 미로가 숫자를 세었다.
"하나, 둘, 셋, 공격 개시!"
나와 아이스를 제외한 나머지 대원들은 전부 문을 향해 달려갔다.
나와 아이스가 남은 동물병원 직원들을 처리하고 있을 때 다른 대원들은 문을 열었다. 우리도 거의 모든 적들을 처리했기에, 문을 향해 달려갔다.
문을 열고 달려가 보니 녀석들은 병실에 있던 동물

들을 모두 데리고 승합차에 태워 도망가 버렸다.
양이가 말했다.
"놈들이 이미 도망가 버렸어."
아이스가 말했다.
"그들은 멀리 가지 못했어."
나와 양이가 물었다.
"어떻게 안 거야?"
아이스가 대답했다.
"아까 낮에 달아둔 통신 도청기, 기억나지?"
양이가 말했다.
"응, 설마 그걸로 신호를 받아서?"
아이스가 말했다.
"응, 그걸 이용해서"
이어서 그린이 나머지를 말했다.
"적들의 위치를 알아낸 거지~"
양이와 미로가 말했다.
"대단한데! 그럼, 놈들은 어디 있는 건데?"
그린과 아이스가 말했다.
"짜잔!"

미로가 놀라 말했다.
"오!!"
그린이 말했다.
"녀석들은 남부에 새로 만든 샛길로 도주 중이야."
미로가 말했다.
"오케이! 그럼, 지금 바로 출발하자!"
잠시 후, 토리가 말했다.
"지금 녀석들은 공정구로 가고 있을 거야."
차가 넓은 도로를 질주했다.
아이스가 말했다.
"전방 750미터!"
차가 더 빠르게 질주했다.
빠르게 질주하다 승합차가 보이자 차는 드리프트 했다.
넓은 도로 한가운데에서 토리는 빠른 속도로 승합차가 빠져나가는 것을 막았다.
그리고 미로는 차에서 내려 승합차 트렁크를 부쉈다.
"쨍그랑!"

문이 부서지고, 대원들은 트렁크에 갇혀있던 동물들을 구했다.
동물들이 말했다.
"구해줘서 고마워요!"
토리가 말했다.
"별말씀을요, 해야 할 일을 했을 뿐입니다."
아이스가 물었다.
"그러면 이제 사건 종결인가?"
미로가 대답했다.
"하지만, 적들이 도망쳤어."
토리가 말했다.
"그럼, 일단 이번 사건은 종결이군."
미로가 말했다.
"다음에 저 녀석들이 다시 나타나면 제대로 본때를 보여주죠."
토리가 말했다.
"좋아."

3. 광장동 방화 사건

광장동 방화 사건

2023년 1월 7일

1. 한밤중의 혼란

1월 28일, 그린과 아이스, 양이와 미로, 그리고 토리와 송이는 휴일을 즐기기 위해 동물국 설날 행사를 즐기고 있었다. 지금은 정확히 토요일 11시다. 그린은 미로, 아이스, 양이와 음식을 먹고 있었다. 그런데 갑자기 골목으로 가던 어떤 코뿔소가 유난히 눈에 띄었다. 그 동물은 검은 모자에 마스크까지 끼고 있었다.

토리가 말했다.
"이제 다른 곳으로 가자구."
대원들은 모두 이동 중 이었다.
그런데 갑자기 멀리 있던 고양이 시민이 말했다.
"불이야!!"

미로가 말했다.
"저기 가봐야 할 것 같아!"
대원들은 발길을 멈추고 그 코뿔소가 있던 골목으로 갔다.
그런데 골목으로 들어간 순간, 골목 끝에서 불길이 치솟았다.
양이가 말했다.
"저거 불나는 거 아니야?!"
아이스가 말했다.
"불이야!!"
그린이 말했다.
"얼른 대피해야 해!"
미로가 말했다.
"대피하세요!"
우리는 토리에게 갔다.
토리가 말했다.
"어서 차에 타! 대피해야 해!"
우리는 모두 토리의 차에 탔다.
토리가 말했다.

"출발한다!"
차가 출발했다.

대원들은 곳 기지에 도착했고 작전 회의실로 이동했다.
아이스가 말했다.
"광장 쪽에 불이 난 건 이번이 처음이에요. 그리고 이번엔 소방차도 오지 않았어요."
그린이 말했다.
"여기에 화재가 발생했는데, 소방차가 안 온 건 이상해. 의심되는 건 있는데."
아이스가 물었다.
"뭔데?"
그린이 대답했다.
"방화를 일으킨 것 같아."
미로가 물었다.
"방화라니?"
그린이 대답했다.
"아까 음식점에서, 그린이 골목에 들어가는 동물을

봤거든?”
양이가 말했다.
“그런데?”
그린이 말했다.
“손에 기름통을 들고 있었어.”
아이스가 물었다. “그러면 그 동물이 불을 낸 거야?”
그린이 대답했다.
“아니, 그렇겐 생각 못 하지.”
아이스가 물었다.
“왜?”
그린이 대답했다.
“그 동물 손에 들려있던 건 식용유였거든.”
미로가 말했다.
“그럼, 그 동물은 음식점 직원일 수 있다는 말이네, 그럼 어쩌지?”
그린이 말했다.
“그러면 단서를 찾으러 가야지!”
미로가 말했다.
“그래! 미스터리 수사대 출동!”

대원들은 단서를 찾으러 토리의 차에 탔다.
목적지에 도착해서 내리고, 아이스가 말했다.
"아직도 소방차가 안 왔어……."
그린이 말했다.
"지금까지 450제곱킬로미터가 불에 탔어."
미로가 말했다.
"내가 먼저 내릴게."
미로가 먼저 차에서 내렸다.
그린은 스마트 고글을 쓰고 차에서 내렸다.
그다음 아이스와 양이가 내렸다.
아이스가 말했다.
"소방서 통신을 교란해서 자동 화재 신고가 안 되던 거였어."
나와 미로가 말했다.
"뭐라고?!"
양이가 말했다.
"그건 범인이 해킹에 관한 기술이 엄청나다는 건데……."
아이스가 말했다.

"그린이 소방서에 신고했어."

2.혼란 속에서

곧 소방차가 도착했다.

소방차가 불길을 잡고 있던 도중,

불이 났던 그 골목에 금속으로 만들어진 글씨가 적힌 판이 있었다.

금속판에는 이렇게 적혀있었다.

'나는 지금 강을 따라 배를 타고 도주했다. 한번 쫓아보시지.'

미스터리 수사대 대원들은 모두 이 금속판을 보았다.

토리가 말했다.

"일단 강을 따라 갔다고 하니 강가를 따라 추격하면 되겠어."

미로와 송이 그리고 양이가 말했다.

"네, 대장님!"

대원들은 토리의 차를 타고 범인을 쫓아 출발했다.

아이스가 말했다.

"여기 너머는 강가 길이 공사 중인데 어쩌죠?"

토리가 말했다.
"때론 과격하기도 해야 돼."
미로가 말했다.
"네?!"
토리가 토리의 차를 공사 중인 도로 밑으로 떨어트렸다.
미로, 아이스, 그린, 그리고 양이가 소리쳤다.
"으악!!"
그린이 말했다.
"이 차 대체 뭐로 만든 거지?!"
아이스가 말했다.
"별것 아닌 강철과 티타늄, 다크늄 합금이야."
토리가 말했다.
"벌써 해가 뜨고 있어. 시간이 많이 지났다는 뜻이지."
양이가 말했다.
"이제 어떻게 쫓죠? 이제 바닷가에요."
송이가 말했다.
"이제 더는 가지 못할 것 같아요."

토리가 말했다.

"이거 큰일이군, 더 이상 갈 수 없어."

갑자기 재난 문자가 왔다.

'화재 경보: 계시 서마울동에서 화재 발생, 신속하게 대피 바람.'

토리가 말했다.

"우리가 방향을 잘못 온 것 같군. 계시 서마울동이라면, 우리가 더 먼저 간 거군. 우리는 서마울동으로 간다."

토리는 다시 차 시동을 걸었다.

토리의 차가 서마울동을 향해 출발했다.

잠시 후, 대원들은 서마울에 도착했다.

토리가 말했다.

"여긴 불에 잘 타는 소나무가 많아서 산불로 번질 수도 있어."
소방차는 불을 진화하고 있었다.
우리는 수사를 시작했다.

그리고, 수사를 시작한 지 5시간 후, 우리는 용의자 5명을 불러 범인을 잡기로 했다.
용의자 이름은 순서대로
맥스
워프
랜드
레리
멍뭉
이었다.
미로가 말했다.
"맥스, 왜 라이터를 들고 있었죠?"
맥스가 말했다.
"제 식당 가스레인지 불 지피려고요. 제 식당 가스레인지는 일일이 손으로 불을 지펴야 해요. 아니, 한참

장사 중이고 손님들도 있는데 왜 강제로 끌고 온 거죠?"
미로가 말했다.
"…….그건 죄송합니다, 그리고 워프, 왜 기름통을 들고 계셨죠?"
워프가 말했다.
"차가 갑자기 멈춰서 봤더니 연료가 다 떨어졌지 뭐예요."
미로가 말했다.
"그렇군요. 알겠습니다. 그럼 랜드, 레리 남매, 왜 불장난을 한 거죠?"
랜드가 말했다.
"저희는 그냥 엄마를 도와서 피자를 굽고 있었다고요!"
미로가 말했다.
"아…. 그렇구나."
양이가 혼자 말했다.
"그건 인정이지……."
미로가 말했다.

"마지막으로 멍뭉! 왜 옷소매가 그을린 거죠?"
멍뭉이 말했다.
"아궁이에 장작 넣다가……."
미로가 말했다.
"여기엔 지금 아궁이가 없을 텐데."
멍뭉이 놀랐다.
미로가 말했다.
"사실대로 자백하세요!"
멍뭉이 말했다.
"부하를 시켜서 불을 지른 거였어..."
곳 멍뭉은 전화로 부하를 불렀다.
그 부하는 바로, 광장에서 본 그 코뿔소였다.
그리고 경찰이 와서 멍뭉과 그의 부하를 경찰서로 끌고 갔다.
경찰이 말했다.
"당신은 사유, 공공시설 방화죄로 체포되었습니다. 당신은 변호사를 선임할 권리가 있고 묵비권을 행사할 수 있습니다. 만약 거짓된 발언을 하면 당신에게 불리할 수 있습니다."

멍뭉이 말했다.
“안 돼!!”

한편, 그들의 본거지에서는
???: “미스터리 수사대, 말로만 들었는데 카메라로 직접 보니 실력이 대단하군. 언젠가 직접 상대해주지.”
???의 옆에 있던 아나시스 클로가 말했다.
“당연히 아버지를 이기지는 못할 것입니다.”
???: “당연하지. 흐흐흐흐흐.....”

4. 13일의 금요일 납치 사건

13일의 금요일 납치 사건

2023년 1월 13일

1. 긴급한 의뢰

평범한 저녁, 미로는 요즘 들어 너무 평화롭다고 생각했다. 1번의 대형 사건이 나기 전에 29번의 작은 사건이 있고 그 전에 500번의 사건 징후가 있다는 이론이 맞지 않아서 오랫동안 평화로운 줄 알았지만, 생각을 한 바로 그 순간 그린이 새 무기를 발표했다.

“새로운 산탄총이 개발됐는데 정확히 동물과 밀도와 경도 등 요소를 맞춘 표적에 시험 사격을 해 본 결과 표적을 뚫고 관통하는 것으로 결과가 나왔어.”

전자종이 신문을 보던 토리가 말했다.

“생각보다 괜찮은 결과군.”

그린이 말했다.

“그런데 만드는 데 시공간이 붕괴했을 때 발생하는 다크늄과 암흑 물질이 적잖이 들어가서 만들기 어렵다는 게 단점이야.”
그리고, 신입인 나나, 티티, 라이, 라라도 들어왔다.
전화벨이 울려 토리, 미로, 그린, 아이스, 양이, 송이는 엘리베이터를 타고 3층 비밀 회의실로 갔다.
엘리베이터로 비밀 회의실에 가면 비밀이 아닌가 생각이 들 수도 있는데, 비밀 회의실인 3층과 비밀 차고가 있는 지하 0.5층 엘리베이터 버튼은 엘리베이터 기계 수리함 안에 들어가 있다.
그래서 우리는 숨겨져 있는 버튼을 눌러 비밀 회의실로 갔다.
라라가 나나에게 물었다.
“**장교님**, 저놈들 어디 가는 걸까요?”
나나가 대답했다.
“글쎄, 다른 층으로 가는 걸 수도 있고 아니면 비밀 기지가 있나?”
라이가 말했다.
“그냥 저놈들이 시킨 일이나 하자고. 의심받지 않으

려면.”

티티가 말했다.

“그러지 뭐.”

한편, 3층 미스터리 수사대 비밀 회의실에서는.

아이스가 말했다.

“그러니까 의뢰인은 남동생인데, 누나가 원래 퇴근 시간보다 하루가 넘었는데도 안 온다는 말이군요.”

토리가 말했다.

“그렇지.”

그린이 말했다.

“누나 회사에도 가봤는데, 회사에서는 정상 퇴근이라고 한다면…….”

그린이 말했다.

“퇴근해서 집으로 가던 도중에 사건이 일어난 거예요.”

토리가 물었다.

“피해자의 회사 근처에서 피해자의 집까지 가는 교통수단이 무엇이 있지?”

아이스가 대답했다.
“52-4번 버스랑 이 근처 택시회사 택시가 있네요.”
토리가 물었다.
“그렇다면 두 교통수단의 특징은?”
아이스가 대답했다.
“둘 다 위즈운수 소속이에요.”
토리가 말했다.
“그렇다면, 피해자는 둘 중 하나를 이용했을 것 같군.”
아이스가 말했다.
“피해자는 사건 당일 야근이었고, 버스는 운행 종료했고,
택시를 타고 갔을 거죠.”
그린이 말했다.
“그렇다면 택시에서 사건이 일어났겠네요.”
토리가 물었다.
“어떻게 알 수 있지?”
그린이 대답했다.
“근처에 범죄자 거주지도 없어요, 그리고 사건이 일

어날 수 있는 구역도 없죠. 단 한 곳만 빼고요."
토리가 물었다.
"어디지?"
그린이 대답했다.
"택시 안이요. 택시 특성상 택시는 밀폐되어있는 구조에요. 그래서 납치, 폭행 등 여러 범죄가 일어나기 쉬운 구조예요."
토리가 말했다.
"그린, 자넨 역시 유식하군!"
그린이 말했다.
"그리고 한 가지 더, 거의 모든 차량 문은 운전자가 개폐할 수 있는 구조에요. 그래서 더욱 위험하죠. 택시 내부는 운전자의 행동에 따라 때론 안전할 수도 있지만 때로는 위험할 수도 있어요. 그리고 지금 피해자의 위치와 범행을 진술할 증거도 없어요. 그러니 지금은 직접적인 복수보다는 범행을 증명할 수 있는 증거와 피해자의 생사와 위치, 그리고 상태를 파악해야 해요. 그러니 도미로, 가 주어야 할 것 같아."

미로가 물었다.
"내……. 내가?"
그린이 대답했다.
"응."
토리가 말했다.
"미로가 가는 것, 다들 의견 어때?"
그린이 손을 들었다.
곧이어 아이스와 양이, 송이와 토리가 손을 들었다.
미로가 말했다.
"어휴……. 어쩔 수 없지. 갈게요, 가요."
아이스가 말했다.
"위즈운수 택시 불러놨어."
미로가 말했다.
"그래! 다녀올게!"

잠시 후, 택시가 도착했다.
미로는 택시 뒷자리에 타려고 했다.
하지만 문이 열리지 않았다.
그 택시의 운전기사가 말했다.

"어…. 학생. 뒷자리 문이 고장 났어요. 앞자리에 타 주실래요?"

미로는 무언가 수상하다고 느꼈다.

'고장 난 택시를 왜 운행하는가, 고장이 나면 정비소에서 수리하는 게 맞지 않는가.'

미로는 의심하며 앞자리에 앉았다.

미로는 택시에 타며

'이것도 역시 범행의 일부 아닐까?'

라는 생각이 들었다.

잠시 후, 미로는 그 생각이 맞았다는 것을 알았다.

미로가 타던 위즈운수 택시는 목적지와는 전혀 다른 산길로 가고 있었고 확인해 본 결과 그곳은 피해자가 탔던 그 택시의 회사 건물, 그러니까 위즈운수 건물이었다.

미로는 그 사실을 알자마자 택시 문을 열려고 했으나 문은 잠겨 있었고, 미로는 급한 대로 창문을 깨고 나갔다.

하지만 그 이후 엄청나게 많은 위즈운수 택시들이 미로를 향해 오고 있었다.

위즈운수 택시에서 지구인들이 내려 미로를 끌고 갔다.
미로가 외쳤다.
"으악!!"
한편, 그린은.
한편 토리와 그린, 그리고 아이스와 양이는.
그린이 말했다.
"미로의 위치 추적 장치(GPS)와 스마트폰의 위치 역학적 추적 장치의 신호가 잡히지 않아요."
토리가 말했다.
"그렇다는 건 기기가 파손되거나 배터리가 방전된 것일 수도 있겠군."
그린이 말했다.
"그렇죠, 하지만 배터리가 방전된 것은 아니에요."
토리가 물었다.
"어떻게?"
그린이 대답했다.
"저 기기들에는 모두 배터리가 방전되면 마지막 위치와 함께 배터리 방전 메시지를 보내거든요, 하지만 메시지가 도착하지 않아서 높은 확률로 미로가 무사하지 못한 것일 수도 있어요, 지금 당장 출발해야 할 것 같아요."

토리가 말했다.

"그러면 지금 당장 출발하도록 하지. 모두 무기 챙기도록!"

우리는 모두 무기를 챙기고 토리의 차를 타고 출발했다.

양이와 송이가 말했다.

"우리는 기지에서 계속 상황을 보고 있을게."

한편, 미로는.

미로는 위즈 택시회사 건물로 끌려왔다.

벽면 광고지에는 이렇게 적혀있었다.

'승객을 편리하게. 안전하고 편안하고 믿을 수 있는 위즈운수! 승객을 아주 편하게 모셔다드립니다.'

'......'

갑자기 리프트로 데려가더니 지하로 갔다.

지하에는 택시회사 터보다 큰 거대 감옥이 있었다.

미로가 입을 쩍 벌렸다.

‘이건 대체 뭐지? 택시회사 자리보다 더 큰 감옥? 그보다, 감옥은 어디서 난 거지?’

미로는 생각해봤다. 왜 여기 감옥이 있는지.

떠올랐다! 옛날 여기에 교도소가 있었다고 들었다. 그런데 7년 전, 여기 택시회사가 들어온다고 했었던 것 같다.

그때 교도소를 철거하던 중 감옥만 철거하지 않고 지하에 묻었던 게 여기인 것 같다.

미로가 생각하던 사이 감옥으로 끌려왔다.

감옥 안에는 수동 세면기, 불편한 재래식 변기 그리고 자동 배급 냉장고밖에 없었다. 감옥에 오니 꽤 괜찮아 보이는 음식이 배급되었다.

미로는 그 음식을 먹었다. 꽤 맛있었지만, 흙내가 나고 모래가 씹혔다. 미로를 끌고 온 사람이 말했다.

“자 받아라, 식단표다.”

오늘 식단은 조금 전에 먹었던 모래 뿌리 구이, 내일 아침으로는 단식이었다.

미로가 말했다.

“단식이라고?!”

갑자기 안내방송이 나왔다.

"지금 감옥은 수면시간이다. 잠을 자기 바란다."

다음 날 저녁, 미로는 밧줄에 묶인 채로 심사장으로 보이는 곳으로 끌려갔다.

심사석에 앉아있던 지구인이 말했다.

그 지구인은 화살표 팻말 방향을 바꿨다.

어떤 동물은 체크 표시로 가기도 했고, X 표시로 끌려가기도 했다. 미로는 체크 표시로 끌려갔고 미로를 끌고 가던 지구인은 무릎을 꿇게 했다.

다른 지구인이 말했다.

"너희는 외모로 위대한 탑 맨 클로 님 앞에 가게 된다."

나는 갑자기 과거 아나시스가 말했던 것이 떠올랐다.

'나는 아나시스 클로다.' 이렇게 말했었다.

'이 녀석들 다 한패였어.'

한편, 토리의 차는 위즈운수에 도착하고.

그린과 아이스가 말했다.

"으아 아악!!"
토리가 말했다.
"최대한 빨리 가야 했어. 미안…. 그런데 저거 부셔도 되는가?"
그린이 말했다.
"그렇죠, 우리에게 손해는 아니니까. 핸들에 파괴 도구 버튼 있죠? 그거 눌러보세요. 도움이 될 거예요. 강철이랑 다크늄 빼고 전부 다 부술 수 있어요."
토리는 버튼을 눌렀고, 차 전면에서는 갑자기 조각 도구 같은 게 나왔다.
파괴 도구는 벽돌로 만든 벽을 부수고 토리와 그린과 아이스는 차에서 내렸다.
위즈운수 건물.
저녁이 되고, 나는 여기 같이 있던 수인들과 함께 트럭으로 끌려갔다.
옆에 있던 강아지 수인이 말했다.
"이제 끝인 거야?! 믿을 수 없어…."
미로가 말했다.
"괜찮을 거예요."

미로는 그 수인에게 카메라를 달았다.
수인들은 트럭에 실려 밤길을 달렸다.
나는 화물 공항으로 가고 있다는 것을 알았다. 하지만 아직 안전하다는 것을 알았다.
트럭 뒤로 익숙한 불빛과 말투, 형체가 보였기 때문이다.

토리의 차.
토리와 그린 그리고 아이스는 계속 미로를 찾고 있었다.
그런데 어느 이사 트럭만 한 트럭이 지나갔다.
그곳에서는 살려주세요! 라고 말하는 소리가 들렸다.
그린이 토리에게 말했다.
"저기 트럭이 지나갑니다!"
토리가 말했다.
"아마 미로가 저기 있을 것 같군. 추격하도록!"
다시 그 트럭을 쫓았다.
토리가 말했다.

"저 트럭, 화물 공항으로 가고 있어."

토리는 트럭을 계속 추격했고, 결국, 공항에 도착했다.

토리는 산탄총, 그린은 권총을 들었고 아이스는 계속 미로의 위치를 찾고 있었다.

그린은 트럭을 찾고 토리에게 말했다.

"저기 트럭입니다!"

토리가 말했다.

"어서 저기로 가도록!"

토리와 그린은 트럭으로 달려갔다.

트럭에 도착했다. 그 옆에는 연쇄 납치 사건
때 봤던 주홍색 비행기가 있었다.
그린이 말했다.
“저기 연쇄 납치 사건 때 봤던 비행기입니다!”
토리가 말했다.
“저게 왜 여기 있는 거지?”
그린이 말했다.
“일단 저게 중요하진 않습니다. 피해자들을 구조하는 게 우선입니다!”
토리가 말했다.
“빨리 구조하도록 하지.”
토리와 그린은 트럭의 잠겨 있던 화물칸을 열어서 피해자들을 구했다.
미로도 화물칸에서 나왔다.
미로가 말했다.
“진짜! 빨리 구하러 오지. 진짜 그 탑 맨 클로라는 녀석한테 끌려갈 뻔했다고. 저 비행선이 탑 맨 이란 놈의 비행선인가 봐.”
그린이 말했다.

"그런데 탑 맨 클로가 누구였더라…."
미로가 말했다.
"탑 맨 클로! 몇 년 전까지 잠잠하다가 평화유지단이 붕괴한 2년 전부터 활개를 치기 시작한 각종 범죄를 저지르는 조직의 대장!"
그린이 말했다.
"맞다! 탑 맨 노에니멀 클로, 동물국의 영원한 숙적…."
미로가 말했다.
"이제 기지로 가도록 하죠."
미스터리 수사대는 기지로 돌아왔다.
미로가 말했다.
"진짜 소름 끼쳤어…. 감옥에 갇혔다고."
그린이 말했다.
"택시회사라는 말은 그냥 자신들을 가리기 위한 가면이었어요.
진실은 끔찍한 납치 범죄단이었던 거죠. 그들은 아무도 모르는 비행선에서 알지 못하는 범죄를 저지르는 거예요. 피해자들이 모두 여성인 것을 보면 이건 분명... 그래서, 토리 대장님. 그래서 복수 계획은 어떻게 할 겁니까?"
미로가 토리의 대답을 가로막으며 말했다.
"아니, 그 전에 내가 비행선으로 가던 피해자 중의 한 명에게 카메라를 달았거든, 그걸로 증거를 수집하자."
미로는 카메라 녹화를 시작했다.
녹화되고 있는 영상은 비틀거리며 가는 수인의 시선이었다.
곧 앞에 있던 문이 열리고, 지구인의 말이 들렸다.
"저기로 떨어져."
그 수인은 계속해서 낭떠러지로 가고 있었다.
결국 그 수인은 낭떠러지에서 떨어졌고 카메라의 녹화가 끊겼다.
토리가 말했다.
"이제 그린이 했던 말에 대답하지, 저번처럼 다시 미로가 트럭을 타고 간 다음에 우리는 그 트럭을 쫓는 계획이야."
미로가 말했다.

“이번엔 바로 트럭으로 가겠지.”
토리가 지시했다.
“그럼, 각자 자리로 이동해 작전을 실행하도록!”
대원들이 말했다.
“네! 토리 대장님!”

2. 지키기 위해

 미로는 위즈운수의 택시를 불러 탔고 그린과 아이스, 토리, 그리고 양이와 송이는 모두 토리의 차에 탑승했다.
토리가 말했다.
"우린 트럭이 보이면 출발한다."
나머지 대원들이 말했다.
"네!"
위즈운수 택시 안
 미로는 다시 위즈운수 택시를 탔다.
미로는 앞좌석에 타고 있었는데 옆에 있던 택시 기사가 미로를 계속 힐끔힐끔 쳐다보고 있었다. 미로는 기분이 나빠 이렇게 말했다.
"제가 그렇게 예쁜가요? 뭐 주위에서 다들 그렇게 말하긴 해요."
택시 기사가 말했다.
"뭐…. 그렇긴 하지."
택시 기사는 미로의 어깨로 팔을 뻗었고 미로는 그

대로 택시 기사의 팔을 쳤다.
미로가 말했다.
“저기요. 그 행동은 승객에게 실례 아닌가요?”
택시 기사는 미로의 말을 못 들은 척하고 속도를 높여 빨리 택시회사로 택시를 몰았다.
 곧 택시회사에 도착했고 미로는 다시 지하로 끌려갔다.
검은 양복을 입고 검은 선글라스를 쓴 지구인이 말했다.
“이놈은 여기서 탈출한 놈 아니야?! 빨리 다시 트럭에 태워!”
옆에 있던 똑같은 옷을 입은 지구인들이 미로를 트럭으로 끌고
갔다.
미로는 다시 트럭에 타고, 다른 동물들과 함께 화물 공항으로 끌려갔다.
트럭 뒤에선 역시나 토리의 차가 쫓아오고 있었다.
하지만, 무언가 잘못되었다는 것을 느꼈다.
트럭이 차를 발견하고 따돌리기 위해 속도를 높인

것이다. 설상가상으로 짙은 안개까지 생겨 차가 안 보이기 시작했다.
그 사이, 트럭은 벌써 화물 공항까지 도착해 있었다.
지구인들은 미로와 다른 동물들 모두 주홍색 비행기로 끌려갔다.
곧이어, 미로는 매캐한 연기를 들이마시고, 쓰러졌다.

다시 트럭을 쫓는 토리의 차.
 우리는 트럭을 따라 차를 타고 갔다. 그런데 갑자기 생긴 안개 때문에 앞이 가려졌다.
그린이 말했다.
"토리 대장님! 안개 때문에 앞이 보이지 않습니다!"
토리가 말했다.
"그걸 대비해 저번에 트럭을 따라 도착한 곳의 위치를 기록해 놨으니 그걸 따라 가면 돼."
토리는 토리가 기록해 둔 정보를 따라 계속 차를 주행했다.
도착하니 트럭은 보이지 않고 비행기가 이륙할 준비

를 하고 있었다.

토리가 말했다.

"아직 비행기가 이륙하지 않았어. 그리고 비행선 화물 전용 입구가 꽤 거대하니, 저기로 가면 되겠어."

대원들은 차에서 무기를 하나씩 챙기고 내려 화물 입구로 들어갔다.

아이스가 말했다.

"이 구역 대기에서 수면 가스 성분이 검출되었습니다! 농도가 어마어마해서 잘못 마시면 사망 가능성도 있습니다."

토리가 신기술인 강철 입자 뭉치를 꺼내며 말했다.

"방독면을 만들 거니 각자 한 개씩 착용하도록."

토리는 나노입자를 이용해 대원들이 충분히 사용할 만큼의 나노입자 방독면을 만들었다.

우리는 방독면을 쓰고 안으로 들어갔다.

화물칸은 고장이 났는지 전등이 모두 꺼져있었다.

더 깊숙이 갈수록 전등이 하나둘 켜진 것이 있었다.

계속 걸어가고 있는데 아이스가 말했다.

"수면 가스 성분 미검출입니다."

걸어가고 있었는데, 이 비행기 안에 있는 식당 겸 회관엔 역시나 지구인들이 웅성대는 소리와 모습이 보였다.
대원들은 벽에 숨어 저 지구인들이 하는 말을 들었다.
한 지구인이 말했다.
“그, 도망갔다 다시 잡혀 온 도미로란 녀석 있잖아.”
곧이어 다른 지구인이 말을 이었다.
“걔 끌고 오던 택시 기사가 반했다며.”
먼저 말했던 지구인이 말했다.
“탑 맨 님도 아내로 삼겠다고 말씀하셨잖아.”
아이스가 조용히 말했다.
“뭔 말도 안 되는 소리야!”
토리가 말했다.
“모두 싸울 준비!”
대원들은 각자 무기를 들었다.
그린은 권총을, 양이와 토리는 산탄총, 아이스는 광선 검, 송이는 전기 충격기를 들었다.
대원들은 지구인들이 모여있는 곳으로 달려갈 준비

를 했다.
지구인들이 저녁 식사를 받기 위해 자리를 일어선 순간 우리는 먼저 공격을 날렸다.
토리가 총을 쏘아 수프 통에 구멍을 냈다.
그걸 안 지구인들은 빨리 도망치려고 했지만 그린과 양이, 토리가 총을 마구 쏘았다.
대원들이 총을 마구 쏘아 지구인들이 한 명씩 쓰러졌다.
식당에 있던 지구인들이 모두 쓰러지고, 우리는 식당 다음 방으로 갔다.
다음 방은 대원들이 있는 곳까지 포함하여 총 4개의 문이 있었다. 가장 왼쪽에 있던 첫 번째 문은 화장실이었다. 대원들 앞 방향에 있던 문은 감옥 겸 격리실이고, 오른쪽 세 번째는 사다리 위 문이었다. 사다리 옆에 Boss Room이라고 적혀 있어서 대원들이 탑 맨 이 있다는 것으로 추정했다.
대원들은 먼저 감옥으로 들어가려 했다. 하지만 보안이 철저하게 되어있어 들어가지 못했다. 하지만 문 가운데에 가로로 약간 긴 창문이 있어서 그곳을 통해서 안을 들여다봤다. 하지만 감옥 방 끝에도 미로는 없었다.

화장실에는 아무것도 없었고 결국 대원들은 보스실로 가려고 했다. 토리가 먼저 사다리를 짚으려고 했는데 갑자기 거대 스크린이 보스실 문을 막았다. 거대 스크린이 켜지더니 늙은 탑 맨의 모습이 나왔다.

탑맨이 말했다.

"미로를 찾고 있는가? 미로는 내 침대에 있다."

아이스가 말했다.

"우리 누나 당장 놔…."

그린이 아이스의 입을 막았다.

아이스가 말했다.

"그린이 형…."

그린이 아이스에게 말했다.

"함부로 행동하면 안 돼. 우리가 더 위험에 빠질 수 있어."

그린이 탑 맨에게 말했다.

"그럼 내 질문 두 개에 대답한다면 물러나도록 하겠

어.”
탑 맨이 물었다.
“그래서 질문이 무엇인가?”
그린이 말했다.
“미로는 어떻게 했고 무엇으로 한 건지만 대답해.”
탑 맨이 말했다.
“그래, 미로는 내가 음료수 한 잔을 주었다. 이제 물러가도록.”
그린이 말했다.
“아니, 그럴 생각 아니었는데, 깜빡함은 여전하군. 늙은이 지구인.”
탑맨이 말했다.
“나도 너네 같은 동물들한텐 한두 번 당한 건 아니라고 바보 같은 동물들.”
곧 감옥 쪽 잠겨있던 문이 열리며 탑 맨의 부하들이 쏟아지듯 달려왔다.
토리가 말했다.
“하, 내가 처음 미스터리 수사대를 시작했을 때 이런 건 많이 겪어봤지.”

토리는 주머니에서 다크늄 밧줄을 꺼내 지구인들을 전부 묶어 보스실 문 쪽으로 던졌다.
문과 스크린이 깨져 구멍이 났다. 대원들은 빨리 보스 실로 들어갔다.
탑 맨이 말했다.
"이건 생각 못 했어! 미스터리 수사대. 도미로는 다음 기회에 다시 데려오도록 해야겠군···."
탑 맨은 미로를 포함한 대원들을 밖으로 나가는 탈출용 엘리베이터로 보냈다.
탑 맨이 말했다.
"잘 가. 다음에 다시 보자고!"
대원들은 탈출용 엘리베이터로 강제로 비행기에서 나갔다.
탈출해 도착한 곳은 공교롭게도 위즈운수 주차장이었다.
토리가 이를 갈며 말했다.
"탑 맨 클로, 언젠간 꼭 복수해 주겠어."
그린이 말했다.
"아직 윗선의 복수는 할 때가 아니에요. 먼저 위즈운

수부터 복수하죠."

아이스가 물었다.

"미로 누나는 어떡해? 개다래에 노출된 것 같은데."

토리가 말했다.

"일단 미로는 송이랑 같이 기지로 가. 나머지 대원들은 여기 남아서 위즈운수를 복수할 계획을 세우고, 실행한다."

"지금은 거의 새벽 2시에요. 이 택시회사 직원들은 지금 휴게실에 있겠죠. 미로 없이는 어렵겠지만 휴게실에 있는 직원들을 미로가 말했던 지하감옥에 가둘 생각이에요."

토리가 말했다.

"그러니까, 자기들이 만든 감옥에 자기들이 가둬지는 걸로 복수하자는 것이군. 좋아, 그럼, 작전을 실행하도록! 이번 사건이 끝나면 다음 의뢰가 올 때까지 휴가를 주도록 하겠네."

그린과 토리, 아이스, 양이 넷이 복수 계획을 진행해야 하고, 또 지친 상태인 만큼 어려울 것이라 예상했지만, 대원들은 우리의 영역을 인류로부터 지킬 거라는 열정으로 작전을 시작했다.

대원들 넷은 위즈운수 직원들을 지하감옥에 끌어넣기 위해 첫 번째로 직원들이 있는 휴게실로 갔다.

휴게실은 그리 멀지 않은 위즈운수 주차장 바로 앞 본사 건물 1층에 있었다.

대원들은 그곳으로 바로 들어갔지만 아무도 없었다.

갑자기 어디선가 지구인들이 티격태격하는 소리가 들렸다.

소리가 나는 곳을 따라가 보니 그냥 평범한 관계자 외 출입 금지 구역이었다. 대원들은 그곳에 들어가 보았다. 티격태격하는 소리가 더 크게 들렸지만 무슨 내용인지는 하는지는 아직도 알 수 없었다. 더 소리를 따라가 보니 그냥 청록색 금속 서랍장이었다. 열어 보았는데 그대로 서랍장 안에 있는 수납 칸이 뒤로 밀리는 것이었다! 수납 칸이 밀리자 바닥에 있는 다락문이 보였고 대원들은 그 다락문을 열었다. 그 아래에는 그냥 아래로 내려가는 사다리가 있었는데 그곳에서 지구인들의 소리가 들리는 것 같았다.

그때, 토리가 말했다.
“다행히 기지에서 수면 가스 분사기를 가져왔지.”
토리가 수면 가스 분사기의 안전핀을 빼고 사다리 아래로 던졌다.
지구인들이 소리쳤다.
“으악! 이거 뭐야!”
곧 지구인들이 잠잠해졌다.
대원들은 지구인들을 하나도 남김없이 끌어다 옆에 있던 감옥 문을 통해 지하감옥으로 끌고 가 가두었다.
곧 지구인들이 하나씩 깨어났다.
그리곤 이렇게 소리쳤다.
“제발 꺼내주세요!!”
대원들은 다시 기지로 돌아왔다.
“모두 사건 종결!”
다시 제정신으로 돌아온 미로와 함께 사건 종결을 외쳤다.

신입 직원들의 정체는 무엇일까?
다음 권에 계속...

미스터리 수사대 사건파일 1권

발 행 | 2024년 01월 05일
글쓴이 | 김그린
그린이 | 김양이
펴낸이 | 한건희
펴낸곳 | 주식회사 부크크
출판사등록 | 2014.07.15.(제2014-16호)
주 소 | 서울특별시 금천구 가산디지털1로 119
SK트윈타워 A동 305호
전 화 | 1670-8316
이메일 | info@bookk.co.kr

ISBN | 979-11-410-6480-8

www.bookk.co.kr